Savais-tu

Les Carcajous

Savais-tu?

Les Carcajous

Alain M. Bergeron
Michel Quintin
Sampar

Illustrations de Sampar

ÉDITIONS
MICHEL
QUINTIN

Catalogage avant publication de Bibliothèque et Archives nationales du Québec et Bibliothèque et Archives Canada

Bergeron, Alain M.

Les carcajous

(Savais-tu? ; 31)
Pour enfants de 7 ans et plus.

ISBN 978-2-89435-323-3

1. Glouton (Mammifère) - Ouvrages pour la jeunesse. 2. Glouton (Mammifère) - Ouvrages illustrés - Ouvrages pour la jeunesse. I. Quintin, Michel, 1953- . II. Sampar. III. Titre. IV. Collection: Bergeron, Alain M., 1957- . Savais-tu? ; 31.

QL737.C25B47 2007   j599.76'6   C2007-940112-0

Révision linguistique : Sylvie Lallier, Éd. Michel Quintin
Infographie : Marie-Ève Boisvert, Éd. Michel Quintin

Le Conseil des Arts du Canada
The Canada Council for the Arts

SODEC
Québec

Patrimoine canadien   Canadian Heritage

La publication de cet ouvrage a été réalisée grâce au soutien financier du Conseil des Arts du Canada et de la SODEC. De plus, les Éditions Michel Quintin bénéficient de l'aide financière du gouvernement du Canada par l'entremise du Programme d'aide au développement de l'industrie de l'édition (PADIÉ) pour leurs activités d'édition.

Gouvernement du Québec – Programme de crédit d'impôt pour l'édition de livres – Gestion SODEC

ISBN 978-2-89435-323-3
Dépôt légal - Bibliothèque et Archives nationales du Québec, 2007
Dépôt légal - Bibliothèque et Archives Canada, 2007

Éditions Michel Quintin
C.P. 340, Waterloo (Québec)
Canada J0E 2N0
Tél.:   450 539-3774
Téléc.: 450 539-4905
www.editionsmichelquintin.ca

0 8 - M L - 2

Imprimé au Canada

Savais-tu que, chez les Amérindiens, le carcajou est un animal légendaire redouté? On le qualifie de plus rusé que le renard et de fort comme un ours.

Savais-tu que le carcajou ressemble à un petit ours doté d'une longue queue bien fournie? Le carcajou adulte a à peu près la grosseur d'un chien de taille moyenne.

Savais-tu qu'on retrouve les carcajous dans toutes les régions du nord de la planète? Soit dans le nord de l'Europe, de l'Asie et de l'Amérique du Nord.

Savais-tu que le carcajou vit dans les grandes forêts de conifères et dans la toundra? Il préfère s'établir dans les régions éloignées, et à l'écart des humains.

Savais-tu qu'il peut parcourir jusqu'à 150 kilomètres en 24 heures? Il patrouille d'ailleurs régulièrement son vaste domaine en empruntant toujours les mêmes sentiers.

DRRRIIIINNG!...

BON, AU BOULOT...

zZz

zZz

zZz

zZz

UN BON CAFÉ ET LE TOUR EST JOUÉ...

Savais-tu que ce mammifère est actif toute l'année et à toute heure du jour et de la nuit? Il tend à alterner période d'activité et période de repos toutes les 3 ou 4 heures.

Savais-tu que, tout comme la mouffette, le carcajou fait partie de la famille des mustélidés? Il possède lui aussi une

paire de glandes anales qui sécrètent un liquide à l'odeur fétide. Ces dernières sont situées de chaque côté de son anus.

Savais-tu que le carcajou qui se sent en danger peut lui aussi projeter ses sécrétions malodorantes? Son jet peut atteindre un éventuel prédateur à 3 mètres de distance.

Savais-tu que le carcajou mâle ne tolère aucun autre mâle de son espèce sur son territoire? Il délimite d'ailleurs cet espace avec ses selles, son urine et les sécrétions nauséabondes de ses glandes anales.

Savais-tu que cette espèce est solitaire? Le mâle et la femelle ne se côtoient que quelques semaines durant la période de rut.

Savais-tu que la femelle peut avoir jusqu'à 5 petits? Ils resteront 1 ou 2 ans avec leur mère avant d'être chassés par cette dernière.

Savais-tu que cet animal terrestre grimpe aux arbres avec agilité et excelle à la nage?

Savais-tu qu'il se nourrit d'animaux morts? Il mange aussi des fruits, des racines, des oiseaux, des poissons et des petits mammifères.

Savais-tu que les dents et les mâchoires de ce charognard sont assez robustes pour broyer de gros os et manger de la viande congelée?

Savais-tu qu'à cause de sa structure dentaire qui se rapproche de celle de la hyène, on surnomme le carcajou la hyène du Nord?

Savais-tu qu'il est aussi appelé glouton à cause de son appétit très vorace?

Savais-tu que, même si le carcajou n'est pas très efficace à la chasse, il réussit à l'occasion à tuer des caribous et des orignaux? Ce sont souvent des animaux affaiblis par la maladie.

Savais-tu qu'il arrive que des carcajous suivent les troupeaux de caribous pour manger les restes des bêtes tuées par les loups?

Savais-tu que le carcajou est excellent pour détecter et suivre les lignes de piégeage? Il dévore les animaux pris au piège

et les appâts utilisés par les trappeurs, desquels il ne s'attire
évidemment pas la sympathie.

Savais-tu que le carcajou cache ses restes de nourriture en prenant soin de les imprégner d'abord de ses sécrétions fétides? Ceci a pour but de rebuter les éventuels chapardeurs.

Savais-tu que son odorat particulièrement fin lui permet de détecter la présence de nourriture même sous une épaisse couche de neige?

Savais-tu que, n'ayant pas de véritable abri, le carcajou se couche généralement à même le sol ou sur la neige? Il peut aussi s'abriter sous une souche ou un arbre.

Savais-tu que le carcajou peut, à l'occasion, se mettre à l'abri à l'intérieur d'une carcasse d'animal?

Savais-tu qu'il peut vivre jusqu'à 15 ans?

Savais-tu que l'homme, son principal prédateur, le chasse pour sa fourrure?

Savais-tu qu'à cause de sa résistance au givre, la fourrure du carcajou est l'une des plus remarquables parmi toutes? C'est d'ailleurs pour cette raison que les habitants de l'Arctique en garnissent leurs anoraks.

Savais-tu que le carcajou est en danger de disparition dans plusieurs régions du monde?

Savais-tu que sa férocité légendaire a fait de lui l'objet
d'innombrables contes et récits?

Savais-tu qu'à cause de la force et de la détermination de l'animal, les chamans des Premières Nations ont toujours considéré le carcajou comme étant un guérisseur spirituel?